MORE
SCOTTISH
POETRY

MORE SCOTTISH POETRY
—from—
MACGREGOR'S GATHERING

SELECTED BY
JIMMIE MACGREGOR
& STEPHEN MULRINE

BBC BOOKS

Published by BBC Books,
a division of BBC Enterprises Limited,
Woodlands, 80 Wood Lane, London W12 0TT

First published 1991

© The Contributors 1991

ISBN 0 563 36278 2

Set in Palatino by Ace Filmsetting Ltd, Frome, Somerset
Printed and bound in Great Britain by Clays Ltd, St Ives plc,
England
Cover printed by Clays Ltd, St Ives plc, England

CONTENTS

INTRODUCTION

At the time of writing, BBC Radio Scotland's daily programme, *Macgregor's Gathering*, is in its ninth year. As a result of the response to my readings of listeners' letters, poems and stories in the first weeks of the programme's life, it was decided to establish a regular weekly Writers' Workshop which would provide a forum for aspiring poets and authors. We were very fortunate in securing the services of the well-known author, playwright, critic, translator and Chekhov-worshipper, Stephen Mulrine, and listeners quickly became aware that Stephen was not only very knowledgeable, but also a sympathetic and effective teacher.

Our Writers' Workshop continues to go from strength to strength, sustained by the talents of all kinds of people, in all parts of Scotland. This is our fourth collection of contributors' work. I hope Stephen Mulrine and I may be forgiven for being rather proud of it.

Jimmie Macgregor
1991

THIS IS THE LAUND

This is the laund that bigs the winds; winds big the
    cloods;
the cloods, the weit, the weit, the grun; an antrin
    steer
o syle an rain. Thon frimple-frample watter rowin
frae Kenmore tae Dundee is cried the River Tay.
It's no the Tay ava. The get o a the oceans
fae Mexico tae Greenlaun, gift o a cloodit warld
an we wid awn it, screive it. Siccar the wather-man
ettlin tae shaw the springheid, warstles wi his isobars
an seeks tae trammel fer ae day the fricht o kennin
the yird's sclenter. Tae whitna maitter scarts atween
    these banks
on loan a whilie, we sall gie particlar name. But gif
the medium be the message, raither mind hoo thocht
or scoukin cloods kenna the immigration laws.
Frae muckle warld tae muckle warld, bairnie tae
    mither,
spicket tae seiver, onding tae quernstane,
sae Scotlan's fowk, skailt frae ae haar or ither
intil a sheuch descrives them as her ain.

The watter made this paper, made this thocht; watter
    made screivin,
made pouer, made bluid. Gin ah cud, ah'd send a
    paircel
o Tayside tears tae sweil the flagstanes o Tienanman
    clean.

KATE ARMSTRONG
Dundee

TATTIE-BOGLE

Buskit in canny fermer's duddies, shooglin
tae the wind's ettle,
thon bogle neither graws nor bides, ruggin

Mind, no langsyne, hoo mony a wean at wark,
happit by mither's haun in faither's sark,
wid tyauve an fettle
tae fleg the craws, biggin
hissel baith meat an siller,
his claes deein, his chowks caller.

KATE ARMSTRONG
Dundee

DE PROFUNDIS

(From the German of Guenter Kunert, b. 1929)

Frae the past,
thon sheuch that's deep but no unendin,
a lourdie vyce cries oot,
a ghaist wel kent, richt ordnar.

He says, tae big a castle or a muckle wa
is tae gang forrit.
Tae pein an plague anither's flesh,
guid sense, same's avoidin eatin meat;
an gie we thanks, an awn the name
o they whae gied us Velcro fastenins,
lasers, dialectic an the packet o three.

Mind, ilka new thing is guid while aye its's new,
sae a law sall mak ye aa fer ever young.
A day sall come
when we will nae mair hear the vyce
girnin frae oot the pit,
'Will ye no learn?'
Sae it bides quait,
Sae we bide quait,
an sae the hale o Europe sall tak tent
o oor first duty, whit we awe oor mitherlaund.

'A citizen's first duty is to keep the peace'
Schulenberg-Kehnert, Prussian Minister of
State, 1806.

KATE ARMSTRONG
Dundee

A BETTING MAN

In the corner there's a half pint man
dousin his thirst.
The fags burn and the reek slinks
aroon stingin the eyes red.

Oan his paper 'Lucky Delaney'
is circled wi pincil,
back in his office he'd
made a fist for the slip.

The beer rusts oan the counter.
He takes in a mooth fu'
fillin the crannies o bad dentistry
an wheechs doon his throat.

The pieces o the day drift free.
He's hingin oan tae a name, a place
an there's the face o a feart man
wi skin the colour o lead.

Ach he wipes the slate clean
an sits up for anither heavyduty fill.
The barman's steel spiked chin
will last wan mair roond surely.

'And how's yer faither daein?'
The ward doors clatter in his heid,
words strainin oot wi the breath 'Pit a bet oan,
fur me son' and the eyes arched to the ceiling.

IAIN BLACK
Stirling

RELIGIOUS OBSERVATION

Ah sit doon an feel the cool pew
thro' ma frock,
it's a long walk here an ma taes
are red as cherries.

There's a laddie wearing denim
in a kirk, did ye ever?
His mammy's affy saft spoken,
her man's gaun tae pickle in that suit.

The Sunday school skips in,
oan tae the front row,
a bonny ribbon of colour and noise
an Miss McNaughton's ticht clasp'd hands.

The choir are fair swell;
Mr Allan's heid shinin like an organ stop.
He's creases in they troosers tae mak ye look twice,
shame he's got a squint, otherwise perfect.

The Minister's serene in black
sweepin past the folk
into his pulpit, a faithful study,
an speaks, 'Let us worship the Lord'.

IAIN BLACK
Stirling

THE TWA THISTLES

Twa thistles aince put doon their ruits
Nearhaun a midden dyke;
But though they cam o kindred seed,
They ne'er grew up alike.

For ane grew heich, baith strang and stoot,
His flooers were unco braw;
The tither had a hungert leuk,
Ill-thriven, thin and sma.

Quo he, 'Hou is't I dinna thrive,
But stey sae thin and sma,
While ye can growe sae big and strang
An bloom sae unco braw?'

His neebor answert, fu o pride,
'Guid dung is a' my meat;
My drink is o the aidle sheuch,
I tak my liquor neat.'

'But ye hae struck yer ruits on stane,
A bed sae cauld and bare;
Wi scarce eneuch tae eat and drink,
Nae wunner ye're sae puir.'

'Noo, leuk at me, I'm prood tae be
The flooer a' Scotsmen claim.
Ye've muckle need tae hing yer heid;
Think ye black-burnin shame!'

Alas, pride gangs afore a fa!
Fair poushent throu his greed,
He foundert in the aidle sheuch,
Ne'er castin o his seed.

The tither spread his stuntit ruits
And set them in the sod,
Tae flourish ere the simmer's end
And skail his seed abroad.

JOHN BOYD
Stewarton

14

BACK TO NATURE

When bairnies, we were fain tae see
A flock o hens aye rinnin free;
the battery noo is a' the rage,
Wi hauf a dizzen tae a cage.

Noo, gin I was a battery hen,
Hou I wad fare I dinna ken.
I dinna think I'd lang survive,
If stappit in wi ither five.

They'd glower at me wi spiteful ee;
Wi beak and claw they'd yoke on me.
I'd hiv tae learn tae haud my ain,
Or shuin they'd pick me tae the bane.

I ken I'd never hear at a',
A distant 'Cock-a-leerie-haw!'
Nae chance tae courie tae a cock;
A waste o time tae sit and cloack.

Wi eggs tae lay, I'd aye be thrang;
It's 'Pey yer wey or oot ye gang!'
I'd hiv tae lay at sic a rate,
Or I'd be on a dinner plate.

I'd churt them oot like some machine;
They'd rowe awa afore my een.
Nae cosy nest tae haud them there;
They'd trintle doon a wire flair.

Gie me a field wi daisies braw,
Whaur I could ceckle, cluck and caw;
Whaur I could rin and flap my wings,
Or scart for worms and ither things!

There I could forage ower the grun,
Or hae a stour-bath in the sun;
The best o friends wi neibour stock,
I'd courie tae the swankie cock.

A cloackin hen, I'd hatch my brood,
As onie leevin cratur should;
Then ower the field alang wi me,
My cheepers a' wad forage, free.

JOHN BOYD
Stewarton

CAA IN THE BOATS

Here are fishers –
    no glib-gabbit makars.
They grip the sea's hairst
    in the wab o thir nets.
Hard wrocht chiels
    wi thows o airn,
Thir leid no burnist
    wi ony book leir,
They hae no troke
    wi musardrie.

But i the howe o the nicht –
    they row in LODESTAR and POLESTAR,
ORION and MORNING STAR,
    tae kirsen thir boats.

Whan the sea-rouk
    blins the helmsmen
And spunedrift blaws saut
    i thir een,
They steik thir boats
    tae the hyne
Wi wirds – SCARLET THREAD
    and SILVER CHORD.
They ken the suith o wirds
    as weel as ony makar.

E. M. BUCHANAN
Glasgow

16

PERSEPHONE

(From a bust at the Burrell)

Whan I wis there I gied Hell
    a richt redd up.
Pit a spoke in Ixion's wheel,
Shone up Tantalus's tassie,
Telt Orpheus there's nae lookin back.

I suin pit the peter on Cerberus.
That tyke wis jist needin telt.
Lets me bye noo, baith in an oot,
    wi'oot worryin ony o's heids.
Coorse Hades himsel wis fair bumbazed –
Niver kent that Hell
    cuid be that tidy.

Och, I niver mindit the puir bruit.
A wee bit houghmagandy
    an a clean sark eence a week –
He's weel content.
But ye ken whit mithers are.
Siccan a tulzie!
Naebody guid enough for her dochter.

Sae, Deil kens, it's up bye
    tae gie her a haund wi'r spring cleanin –
An suffer a hauf year o' her flytin.
Syne it's the back o the hairst
An I maun board the ferry
Back tae my ain guidman,
Whaur he sits fidgin fain –
Neen the waur o a sax months taiglement.

E. M. BUCHANAN
Glasgow

THE CAVE

a clever bit-lawdie, wee hue ower cocky,
they caw'd me whan I was at skuil,
aye spierin ahint whit was writ in the buik;
the maister whan fash't tuk it ill.

sae I nivver was telt whan we spak o The Bruce
whit e was like when e foun oot the cave,
was e wabbet an drookit, hungry an wae,
nae warmth o a fire, nae freens lik the lave;

nivver was telt whit e wore on is back,
on is cauld hurdies the kilt or the trews;
was meal in is sporran tae comfort is wame,
a wee horn o whisky tae haud aff the grues.

wantit tae ken o'the speeder that hung
doon frae the rock on its fine silken threed,
was it as wee as this yin on its wab
legs curl't sae ticht ah'm shair it's lang deid.

naw . . . nivver was telt . . . but I ken it was Big
its threed shinin siller in bricht o the muin;
whit wey cuid e see it sclim upweys an doon
if the cave was black daurk an daylicht was duin.

ANNIE H. CAMPBELL
Paisley

LEEVE AN LET LEEVE
(Maist o' the Time!)

A spider i' the bath – ah'll howk it oot;
heft a stranded worm frae aff the path;
slaters an hornie-golochs, show the door;
an wasps an bees rescue in a gless
tae mak them hummin free aince mair,
BUT aa hoose flees, an they buzzin blue bottles
gar me grue: canna bide they ava.
Ah tak ma flee-swat an gie them laldie
– or a wee bit puff o the derris
which aye maks them fizzin-dizzy.
But – if ane lands i the soap-sapples; lies
helpless, wavin its wee bit leggies
i the air; canna coup it doon the sink!
Ah'll fetch it up, pit it on a cloot,
till it gats back composity.

GILLIAN DENNISON
Milngavie

WINTER O '87

I' the twal winters sen ah bided here
Nivver hes there bin sic snaw i' Janwar;
Strecht frae Finlandia. Blawin o a wind
Souchin n cawin throw oor door lockhole;
voices walawayin, yabblin an wheeglin,
'We're wantin in!'. The souns rise frae a wheemer
tae a banshee shriegh. Wheengin, vexed wi spite
the wind breenges – huffs clarty black grime n stour
doon the kitchen lum: enow tae mak ye boak.

GILLIAN DENNISON
Milngavie

FLOOER POOER

Ye mun hae smeddum,
wee midwinter flooer,
prickin the grun wi
yer green spear peekin
throw i Januar.
Clampit wi cranreuch,
snaw-tooried, wind-blawn,
nae wunner ye hing
yer heid – the weather's a scunnerashun.
Come Feberwarry –
an growin aince mair;
noddin braw petals –
sic a dazzly white
tippit up wi green.
My, how we lo'e ye
an whit dae we dae?
Gaither ye by the thousan.
Ye dinna complain;
anither year, feal wee freen,
ye'll be back again.

GILLIAN DENNISON
Milngavie

LOCH AN EILEAN

Here, the quait is
Bruckle as ice.
Syne the grey-lag guse
Cams weengin in
Wi the furst flauchter
O snaw. The laund
Ligs time warpit.
He touches doun;
A grace note on
The stave o Winter.

LYDIA DUNCAN
Broughty Ferry

MULTI-STOREY HAIKU

Is this whit they caa
Bein upwardly mobile?
He the sclimmin staur,

Wi laither jaiket,
Studs skinklin i the licht's ee,
Rived fae its socket.

Syne me, feart aboot
Whaur fowk like us fit intae
This constellation.

The door skreichs apen
On oor anonymity.
We are decantit

Intae a weird warld;
A lane laund, whaur the waas shout
An ill-fremmit leid.

LYDIA DUNCAN
Broughty Ferry

BUMBAZE

Dorrity dooker, draigled stookie
gowpin doolie dreipin dram,
hurdies, hochs an hairst tatties
wattered doun wi smeddum blin.
Dottered dotterel, dottet daft,
aippleringie souchin sang.
Whitna plookie parkie puddock
wheesht the bairns' greitin doun?
Blaw in the lug a fiddler's biddin,
fin a slorach tattie-howker,
hoolet, speug an teelie tod.
Wappen shaw wi frichtit tory,
bluidin mairtyr, skelpit bum,
blether's brither, reikin grannie,
mammy, maw an sweetie wifie.
Help ma bob a carlin's cantraip.
Brekin Alba's chains for scouth.
Hooch! Hoch, watergaw.
Lauch an skraich the haar's awa.

DONALD C. FARQUHAR
Dunblane

ETIN

Deep, deep aneath the sea
daurkly steird the beat.
The snowk o bluid aince mair the caa
the caa rins thro the fleit.

Heize, heize aneath the sea
movin' tae the rin.
Tae gowp a man atween the swaw
an swally deeper doun.

Doun, doun aneath the sea
bluid swaw wash the mune.
Tideheid flude aince mair is caum
the beistie couries doun.

DONALD C. FARQUHAR
Dunblane

CAIRTIN KALE

There cam a day in early spring
  Whan I wis traivlin doon
Alangside parks near Polmont wids –
  The wey tae Bo'ness toun.

I'll nivver ken the reason why
  There cam intae ma mind,
Thochts o cairtin kale frae hame –
  Days o anither time.

It micht hae been the rise o the rig,
  The smooth broo o the hill,
Or beech trees, brawly giein bield
  Tae them that warked the till.

The crap wis lang sin gethered in,
  The field ploo'd up, an bare,
Uncanny hoo it titched ma hert,
  The spell o bygones there.

ISABEL FERGUSON
Falkirk

TRYSTER-TIME

You loun, in the sark o silk
An ledder jaiket wi zips
That jink owre pouches ilka
Airt, an matchin breeks that grip
Yir shanks as ye staun stridelegs
An strang, ma fingers kittle
Tae kaim yir touzy tap. Fegs,
Yir branky set gars me thirl.

Hae a glint o me, braw lad,
An ye'll see ma brent new shuin;
Thir bleck as nicht an atap,
Buttles siller as the muin.
See hou ah gang on spinnles
Wi-oot a shoogle, an swee
Ma hurdies neith a kiltit
Kirtle spleit abune the knee.

Ma jaiket wi its scouthie
Bouk is wrocht in oo an haps
Ma reid sark keekin oot
The tap. 'Rowe up,' ah caa crouse
As yir cast gies oot a glegness,
A flist that ye dern but puir,
An ah tent yir sidelins glisk
At the ribbon in ma hair

If ye'll thole a cutty guide,
Be ma lad, ah'll be yir lass.
We've nae need o rings for mind –
It's a lang road or Christmas.

MURIEL FERRIER
Dundee

IN SPAIN

Nae doots but Tam could be fell roch,
an some fowk thocht,
a drucken idle sort;
but he wis a braw sojer in Spain.

I' the mill the gaffer aye
had his ee oan Tam,
'til ae day Tam had had eneuch:
'Ah'd raither gaun tae Spain
an shoot swine lik yon.'
An he did
become a braw sojer in Spain:

at Jarma, so they say, he kilt a wheen o Fascists,
but oan the Ebro the buggers kilt Tam first.

A few o his butties clubbed thegither
an brocht Tam hame,
tae lie oan the hill abuin
the wids an burns he had poached
an the douce-lik toon he aince
had fair scandalised,
an pit up a stane tae 'im:
'A Volunteer for Liberty.'
For Tam wis aye
fell keen oan freedom an the like.
Mebbes that that made 'im
sic a braw sojer in Spain.

RICHARD HAMILTON
Penicuik

THE COUNTRYMAN IN EXILE

Whut's that! Ye've never heard a whaup?
Man! That takes some believin!
Hoo diz it soun? Weel, it's ill tae tell,
Tae yin used tae city leevin.

Think o the licht in yer mither's ee,
An the worries that ye caused her.
Think o the furst lass that ye lo'ed,
An the hertache when ye lost her.

Think o a wild black winter's nicht,
An yersel, a lad, gaun hame.
Think o the ghaists that followed ye,
Tho' ye kent weel there wiz nane.

Think o a muirlan simmer's day,
An the taste o't on yer face.
Think o hoo ye sooked it in,
Mair content wi ev'ry braith.

Think o a' yer lang gane freens,
When ye were boys thegither.
Think o them an the gemmes ye played,
Noo lost in time, forever.

Huv ye din a' that? Noo shut yer een,
An mak a' thae thochts a soun.
Weel, that's a whaup, an it's ca'in me . . .
Goad! bit ah'm sick o this toun!

DAVE HENDERSON
Glasgow

ANENT A NATION'S FREEDOM

In dwam, observe grey winter's braith nip
          flooer an leaf,
syne hap bleak nothingness aneath a
          snaw-white shroud.
Aa heid-doun-deid, till surgin sap
          inspires belief
that hauden-doun will yince mair rise
          ti life, unbow'd.

Alane, it breirds in benmaist chaumer
          o the mind.
The seedlin thocht airts ti the licht ti
          fin its soul.
In sair-hard grun taks rit, wi ithers
          o its kind,
ti flooer in brilliancy 'mang thaim wi
          maist ti thole.

When freely gien bi heid-yins wha hae
          it ti gie,
freedom's a sweet fruit. Dreamed o bi thaim
          wha hae nane
the tang o soorness blights man's
          magnanimity,
While wrocht-for freedom tastes the sweeter
          when it's taen.

Syne as the staur, blinkin bonnilie
          in the lift,
pulsates its energy inti
          infinity,
sae freedom's spirit sparks the lowe that
          pow'rs its gift
ti aa the world – a Nation's
          creativity.

DAVID KERR
Armadale

BUMMERS

I mind at ma grannies
wis jist a wee laddie
in bed i the mornin
the frost on the windae.

ae note an anither
een heich an een laicher
een louder een quaiter
een sherper een fletter

ay dizzens o bummers
tae steer up the workers.
fae auld daurk stane toun
tae gyte kist o whustles.

een staps then anither
the soun it cams thinner
an afore thers a lown
ae whustle, the winner.

STEWART McGAVIN
Abernyte

PECHT

the day I focht a sheep,
at the outlan shiel,
heukit tae the wire
by the caurry horn.

backartys, forrit atween
twa stabs. stridlins,
warstlan haunlebaurs.

haurd for wire tae gae,
e'en by the lug an bane.
a sair fecht, for
an orra scriever man.

wha lowsed lowpt free
afore the rodeo began.

STEWART McGAVIN
Abernyte

1/11/87

ablow the boat it's skyre
it's cauld. the lan muives
slow, wi colours o the hairst.
bonnie tae, wi fuffs o haar,
an twa fauld, aathin's
chyngit i the gless.

luik throu it tae whaur
urchins taigelt wi the ware
gae by. the twa roun rings,
there, kythe the deean
pulses o the man o war.

it's caumer nou, it's
caulder tae, the sea's
a perfite keekin gless
o gray, ane wi the haar
an wi the lift. the scart
alane, soums, black, an
wi a soun an glisk o white
gaes doun. an never wis.

STEWART McGAVIN
Abernyte

THAE ELMS

an whit o thaim.
aa shuirly deid. smitten
near three year syne.

an muckle tae wi
near a hunner rings. staunan
a hunner fit in hicht.

an wuid nou haps
the auld gairden. the clogs're,
big eneuch thirsels.

an i the grun, whit's
left's sax fit athort, an's shair
tae bide a wee.

an man, thir teuch.
thrawn grains brak the heft
o the auld aix.

an I've new lowsed
a wadge, grippit a twalmonth,
bi snorly wuid

an mind the simmer,
seeds'd flauchter doun
an drift lik sna.

STEWART McGAVIN
Abernyte

WAUK FUR WHAALS

Phantom pipes
skirl roon
this by-ordnar core
chappin time
tae save a warld.
A tin can plays
bystander
bawbees skite
a schottische
ower the watter.

Muckle grey bodies tyauve a camsheugh reel
tae the pibroch o a harpoon
the sea sings a sad sang
deeper aye deeper cuts the flensin knife
gaurs them dance tae pipe oor tune's
leifu' sound in slaw lament.

MARY McINTOSH
Kirriemuir

ROPE

Baith wir faces mirrored,
Gliskit in mercury –
Glegly I fling haps a-
boot this brukkil memory.

Ma muckle haunds aroon
Yir breists, ma face upon
Yir shooder – ye keek at
Me and I at ye. And ken

The scunner moments sic
As these hae had oan wi.
Ma airms uncoil, disjask-
it, and, unwilling, lowse ye.

ALISTAIR MACKINNON
Kilbarchan

'IN AIRMS MAIR SURE'

Ma bairn wi bauldie heid
Like convict or recruit,
Intae this place ye huv
Been placed – there's nae get oot!

Like jilers baith yir Ma
And Pa in safety keep
Ye warm – fur whit? Ye maun
Cry. Jist sleep bairnie sleep.

And guard yirsel wee yin
Frae harm or ill or daith,
Yir Ma and Pa are jiled
Anaa and haud in faith

That they'll be next tae sleep
In airms mair sure and strang
Nor mine. Sleep bairnie sleep.
Let love pruve daddie wrang.

ALISTAIR MACKINNON
Kilbarchan

BUDGIE FADO

Ma grannie hud a budgie – Binkie
it wis ca'd – n it sang n cheeped jist
like these Portuguese wans. Gey near ivry
street n this dump hus cages at the door n windaes
n thir aw chirpin away cheerily n at.
(Wan in the eye fur that 'all hivvin innarage' fella
– Blake wis it? Silly bugger.)
Wan o thim hud thexacsame tune as ma grannie's
    Binkie –
first it cheered me up n en it brot back ma
grannie's n Ruchill. Yuseyully takes a full bo'll
tae bring oan ma Grannie. Right bargains
these Portuguese breks.

IAN C. MACLEOD
Carluke

'CRAIGIE'

The smell o bruim, oan a hot simmer's day,
Saft warm gress
Whar the bairns cuid play, in safety,
Oan the knowes at Craigie.

A biled new tattie, birslin yer haun,
Wi a piece,
Wis yer denner – pu'in berries
I the fields at Craigie.

Grannie fetchin waater, fae the well
Ower the wey,
In a bucket tae her cottage
Oan the raw at Craigie.

The wee hoose up the gairden, miles awa,
Tae the bairns
Wha wir bidin the nicht
Wi thir Grannie at Craigie.

Bannocks toastin at the range, welcomes
Grandad hame,
Girdle scones an treacle – yer tea
Wi Grannie at Craigie.

Time's wracked its dirdum here,
As aa place else,
The raw's faa'in doon – thir's little left
O Grannie's Craigie.

JEAN MASSIE
Tayport

RETOUR

As I staun here, whar aince ma faither stuid,
Whan wark, for him, was done.
He'd husbanded thae fields ye see,
For fifty years, nigh on.

Peesies win on their daft-like flicht abune the haugh,
Fae whar he brocht their eggs
Tucked in the front o his bunnet,
Tae be biled as trait for oor tea.

Geese are grazin, as they hae done ilka winter,
Doon aside the loch,
Skreichin an steirin noo,
In readiness for that lang unco journey.

Did he wiss, tae, for ither lans
As he set aboot his darg?
In perfeck rhythm wi his horse
Or broadcastin seeds bi haun.

Tho I hae traivelled far awa
Tae some o thae distant lans,
Like the geese bi some byorner birr retour
Tae staun again, whar aince ma faither stuid.

JEAN MASSIE
Tayport

'TILL DAITH LOWSES YE'

'We are gaitherd here thegither
tae jine this man tae this wummin . . .'
Bit she's juist a bairn, ah compleen,
she's nocht bit a bairn.

She's the wean wha toddled bi
the gairden fence cryin, 'Ta! ta!'
tae onybody that wid take tent.
'The vows ye tak rax furrit . . .'

She's the wee lassie wha gaed tae
the hospital tae hae her tonsils oot
an cam hame sayin, 'Ah'm gaein tae be
a nurse whan ah'm big.'

She's the lassie wha trudged, in wellies,
efter her faither, thro heather, bog
an burn tae guddle in a hill loch.
'Ony reason fur ye nae gaein farrer . . .'

She's the skale bairn wha met the daith
o ain o her class-mates, at thirteen,
wi smeddum an mense.
'Wull ye tak this wummin . . . ?'

She's the teenager wha, when she
wisnae bein a dorty reist
wis bein a thrawn, contermacious besom.
'Ah promise ah will haud tae ye . . .'

She's the limmer wha grew up gey
swythe whan faced wi the rigours
o a geriatric ward.
'Till daith lowses me . . .'

She's the quine wha traivelled
hauf wey roon the wurld an back again.
Och, ah jalouse she's wummin, richt eneuch.
'It fa's tae me tae cry ye man and wife.'

JEAN MASSIE
Tayport

CATERWAUL

Ye could hae heard the proverbial preen drap,
In the eerie stillness o nicht,
When aw o a sudden the warl blew up,
An ma hert aw bit stoapit fae fricht.

Like Tam o' Shanter owre Cutty Sark,
Ah near-haun tintit ma heid,
Aw ah could think oan wis ghaisties an ghools,
An wails o the banshee breed.

Wi bluid rinnin cauld, an witless,
Ah'd tae tak a guid grup oan masel.
– This soond wis nae eldritch screechin o witch,
Nae yowl o a loast sowl in hell.

It wisni coyote or tundra wolf,
We're owre faur awa fur that.
Whit wis ah left wi? – naethin else,
Bit a tame auld domestic cat!

Ah've hin cats roon aboot, the hale o ma days,
Bit aye ah've been spared the lay
O a randy Tam oan a serenade,
That gaes oan tae the brek o day.

Noo ah've jined what ah caw the bucket brigade,
Fur folk wha've been plaguit sair.
– Rinnin oot fu pelt wi a pail o waater,
An prayin the aim is shair!

CHRIS MORGAN
Lauder

DAITH ISNAE

daith isnae
seein thir flooers
caad furth fae the bud

daith isnae
feenishin thon
muckle prentit romance
gotten fae the library

daith isnae
kennin hoo
yer diary joukit atween heid an fit
yin weill ablow the cloods
an tither sae weill on the grun

daith isnae
kennin hoo
yer yen fer sweeties
gart ye pit by sae mony pokes
in amang yer bits

daith isnae
kennin hoo
yer fear o no haein paper
fer tae scrieve yer kin
gart ye pit by sae mony leifs
in amang yer bits

daith isnae
kennin hoo
ye mairkit oor faimlie's dwyne
wi fadit cuttins
gotten fae the Scotsman

daith isnae
kennin hoo
fae thae crynin buds
i caad furth flooers

daith isnae

JOHN MURRAY
Kelso

MASTODON MEMORIES

i thir auld hills
ah see the muckle skulls
o mastodons cleikit
in a dub o black pitch.
i the howe o yon brae
ah see the sockets o their sichtless een,
aye, an i the howe o the hill
ah see a skelp o polished iv'ry
raxin doon til the valley flair.
i the tapmaist snab o their craggy broos
that ay haad the first an last snaws
ah see the frostit pow o th'auld din bull
ootcast by his kin tae daunner an howk
the tundra his lane forby
mastodon memories.

ahint thir hills
in amang the riggs an dykes, haughs an howes
there are bits an bittocks o knocks an knowes
yonder a rickle o vertebrae lowsed
an a pelvis cowpt
yonder a riven cage o marrieless ribs
the breith caad fae't
or a femur enn dichtit smooth
by the lang stravaigin streed
o the baggy breikit beist.

an as this bourach o banes
rives aa the fermlan roonaboot
or as ice borne rock, lang laired
is by the ploo upliftit
or as the river big wi the melt o mindin
is a siller serpent, or lovers' limbs
ower the dwammin haughlans fanklin
in spate we tak on lives lang syne
an as we sclim tae hichts
whaur tae the fields inby can never win
english is riven ay by Scots.

JOHN MURRAY
Kelso

MINDIN THE BAIRN

Wheesht, wheesht, yer wheengin, girnin, greetin
  mou,
Ah'll daidle ye in ma plaidie a wee bit . . .
Ah feel yer seekin lips an cooriein pow –
Ach bairn, it's fell soor mulk that ye would git
fae this auld, empy, weezened, shrunkled pap.

Wheesht, wheesht, yer greetin's tuggin at ma hert.
Ah feel ma verra wambe loup in ma lap –
Like a daft auld haun that disna ken it's leever-merkt.

Whaur's yer mither got tae? It isna richt
A shuild be sae trauchled at ma time.
A shuild hae peace tae sit an dwam at nicht.
Ah've brocht up seeven o ma ain lang syne.

An whin the mither cam–
Sic gutsy, sobbin, slaikin, sookin soonds –
Ma ain breest loups.
Thae bairnies – rubbin saut in auld fowks' wounds.

JAN NATANSON
Kirriemuir

HEBRIDEAN MAGIC

Juist aff the Skye ferry
An five mile pechin
Alang the wrang road.
(Weel, the richt road
Tae the wrang Kyles.)
Ma dochter's face trippin her.
Sittin in a layby
No speakin.
Grey sky threatenin rain.
Mist ower the watter.
Empy hauf-bottles
Amang the maisies.
A crofter, auld bauchles on his feet,
Haudin a message poke in wan haun
An his bunnet wi the tither
Agin the wund
(That bluidy wund –
Ah'm aye pechin.)

An aff the Scalpay ferry
Doon ablow us,
In a sudden shimmer
O ee-glintin sun –
Abdul's Mobile Shop.
As if stracht ower the watter
Fae distant Arabia
Oan a fleein cairpet.
The auld mannie
Bides at his gate.
He's waitin –
But for whit?
Turkish delight?
Hashish?
Slave girls?
A belly dauncer?
Mebbe a new addeetion
Tae his harem?

46

Ma dochter gaes in furst.
She cams oot wi directions,
A bar o Fruit an Nut,
An a smile on her chops!
Magic!

JAN NATANSON
Kirriemuir

PUIR GRUND – HARRIS, MAY

Grey stanes
Stickin oot
Like banes
Fae an auld,
Daen, cattle beast.
Wabbit an hauf-sterved.
An fowk screevin
Awa like flechs
Or wirms. Flauchterin
The flesh fae the banes
In tidy wee slices.
An the simmer wund
Souchs ower the grund
Shooglin the heids o the maisies.

JAN NATANSON
Kirriemuir

NAITUR WATCHIN

Efter a day o rain, a bonnie gloamin,
Unner the birks an laricks the grund
Pechs oot a sigh an the guff
Rises up tae meet oor footfa's

On a fence post, a hoolet starin,
Nae feart ava. We staun still.
Wi twa, three flaps he's awa . . .
Oor breaths souchin up
Tae follow the wave o his flicht . . .

Turnin roon, a yowe an lammie
On the brow o the hill
Etched agin the sky.
They staun, starin doon
At us . . .

JAN NATANSON
Kirriemuir

WI'IN THE HERITAGE MUSEUM

Thon gaupin tourists clutterin up the toon
get in ma wey. They daunner up an doon
peerin in clases, pokin inti wynds,
an takin pictures o the strangist things.

Whit's aa the fuss aboot a plain stane wa?
Each stane's a . . . diffrent shape?
Is fittit in its . . . richtfu place?
Is this considert airt?
Or did Rabbie scuff a shouder here
whan wance was pisht? Mair
likely vomitit, thon Ayrshire tink!
But naw, there's nae commemorative plaque,
nae date, and ony graffiti he wrocht's
lang disappeared, frae this wa onywey.

Thon furrin tourists, nebs in buiks,
gie mair attention ti the likes
o Mary Queen o Scots, Charles Edward Stewart,
an stare richt through the fowk o flesh an bluid,
jist ghaists whae bide in Edinbra nou,
blurred figures at the edge o photographs.
It maks ye wunner, whit dae they think o us?

KEN NELSON
Edinburgh

IN MEMORIAM 1989

Mair frae tradition
than frae respect,
we maun come an mourn
this crabbit man,
this puir thin whingin saul
whae niver yince
a guid wurd spoke
of onyyin.

Nae papers cairryit heidlines
o his daith. Only his absence
frae that too-familiar space
he'd made his ain, the letters page
wi'in the Scotsman an the Evenin News,
annoonced ti us whae kent him best,
his passin.

'I am a ratepeyer', he'd stairt.
'And I don't pey my rates
for policing merches against apertheid,
to gie addicts free needles,
for queers to hae fun,
for festivals of filth . . .',
And on and on,
ye ken it aa,
as if each single penny spent
on cooncil business
came squeezed frae oot his purse!

Oh ay, he *wis* an Edinbra man.
And prood o it!
He'd aye remind ye o it by and by,
'born and bred'.
The kind o wan
whae'd mak ye want ti be less Scots yersel,
at least be born somewheres else.

NORTHANTS FOLK ROADSHOW

THE ROADSHOW IS A TRAVELLING ACCOUSTIC MUSIC AND SONG SESSION
WE VISIT PUBS AROUND NORTHANTS AND JUST OVER THE BORDER
WE HAVE RAISED A LOT OF MONEY FOR CHARITY BUT THE EVENTS THEMSELVES ARE FREE
AUDIENCE AND PERFORMERS OF ANY KIND ARE WELCOME AT ANY ROADSHOW EVENT
COME AND SEE US - YOU HAVE NOTHING TO LOSE !

FUTURE DATES

Monday September 5th - The Green Dragon, Higham Ferrers
Monday October 3rd - The Cardigan Arms, Moulton

We usually meet on the first Monday in each month from 8.30 pm.
For further information contact Alison or Chris on Northampton 587974

Dear Friend,

I have been asked if The Roadshow will provide entertainment at a fundraising night being organised by the Rothwell Lions. It will take place on

        Saturday 10 September, from 7 pm 'til midnight,
            at The Rowell Charter in Rothwell.

Although the event will be out of doors, a PA system will be provided. Chris and I will be going, together with Mike Jewitt, Trevor, Steve and possibly Trish. Would you like to take part ?

We would like to see some familiar faces in the audience too.

The Lions are currently raising funds for special wheelchairs and last year raised £2,000 at their Rowell Charter event. They have offered expenses but as this is a worthwhile cause I doubt many will be taking up their offer.

Please let me know if you plan to join us.

Thanks

Alison

And nou . . . he's deid . . . or raither . . . endit.
Nae langer can he sign hissel 'An irate ratepayer',
that bad alliteration is nae mair.

Nou must he bide
and haud his wheesht
in thon big mansion,
fir ye must hae kent
he steyd in wan o yon,
rattlin his banes aboot,
and fir want o bluid
ti keep him warm,
coontin his savin's.

That man, I wish him joy of it.

KEN NELSON
Edinburgh

JIST PASSN

Jist passn? Who ye kiddin, Mac?
Thur's naebuddy jist passes here.
This is a creatit event.

Neither you nur me nur onybuddy else
kin see a hate a whut's gaun oan
withoot conditionin.

If you ur here, then you wur broat,
the same is aw the rest i us.
This is a saicant funeral, ye know.

Ah'm telt it oafen happens thit
some punter canny face the blunt
reality a livin efter daith

n slips intae a cosy dream
a auld lang syne, n therried stey
fur centuries if sumpn wisnae done.

Apperrntly a wee suggestion's made,
whiniver is attention kin be caught,
thit is gettin auld n seek n facin daith.

So they go through the rigmarole
a doactors, nurses, oaspitals,
n then confront um wi is funeral.

You think thit you wir only passn, Mac?
If ah wis you ah'd nip inside.
Ye niver know, yull mibby reckanise
summy the mourners.

WILLIAM OLIPHANT
Coatbridge

FISHIN VILLAGE

Huddlin the rocks sits
The wee East Neuk toon.
The May is a ghaist
I' the Forth sinkin doon,
An the beds'll bide cauld
For the herbour is toom
O boats i' the gale
That is blawin.

They're brekkin fower aff,
The dabberlacked waves.
The wind's moanin snell
Roond the fishermen's graves,
An the hert o the woman
Wha sits hame an craves
Guid news o her man
I' the dawin.

New grief will be dug
For men no won hame.
New grief sairly felt
Is auld grief juist the same.
Auld weedies wi new anes
O ae faimily name,
Look drear at the cot
That she's cawin.

BERT PATON
Cupar

HURRYIN HAME

'I'll rin ye hame,' he said to me,
'I'm gyan your wey. It's nae that far.'
'That's gweed o ye,' I said, 'I'd be
Real gled,' an syne got in the car.

I'd hardly time to slam the door,
An neen to snap the safety belt.
The engine revved, a muckle roar;
The car it loupit like a shelt.

The traffic it was steerin thick.
Awa we went. He didna care;
He keepit up an affa lick.
'Gweedsakes!' I thocht, 'Foo muckle mair?'

He slippit in, he slippit oot,
Nae limit fan he owertook.
Fae lane to lane he cheenged aboot,
An I could neither jink nor jook.

Syne, hine awa, the lichts were green.
'I'll dee't,' he said, an tore aheed.
I fairly thocht my time was deen;
Jist as we crossed they gaed to reed.

At lingth o lang an near my hame
He stoppit, an he let me aff;
Nae hairm, it's true, but aa the same,
I felt as fushionless as caaf.

Although he got me there aa richt,
My nerves were in a geylike state.
He said, 'I had to rush the nicht,
'The wife aye worries gin I'm late.'

GEORGE RITCHIE
Scone

DANCIN' FEET

Atween the wavin barley fields
 She rins on dancin feet,
Then roon the corner tae the sea
Atween the fields o wheat.

A bonnie village bairn,
She's nivver seen a town
Wi e'en o blue an fair bleached hair
An skin o sunny brown.

She rins atween the barley fields,
She daunces past the wheat,
Then in the cauld an salty sea
She dips her wee hot feet!

D. M. SLOAN
Bearsden

WEEL HAPPIT ROON

Weel happit roon fornenst the cauld
the wee grey leddy dwaums i the sun
thirled ti the thocht o growin auld
doverin, noo hir darg is dune.

The gairden's no a bonnie airt
the dwinin flooers are aa bit gane
cantie eneuch, wi comelie face
she minds the steer, she tholes the pain.

Glimmerin ferlies o the past
gae, saftly speirin, thro hir brain
the weel-kent ploys, the wycelik freens
in laneliness, she's no hir lane.

The gairden's no sae dreich an dune
it's no a trauchle, growin auld
the wee grey leddy's fair i the sun
weel happit roon, fornenst the cauld.

ISOBEL GRANT STEWART
Alloa

THE DRIFFLE

Snaw cam drifflin doon
flichterin wi ferlies in the nicht's blin een
jinkin gliskin in the deid pit mirk
smoorin awa, smoorin awa
the byre an biggin
ha an steadin
dyke an den
smoorin, smoorin, smoorin awa
makkin a, ane.

Dool cam drifflin doon
flichterin wi ferlies in the nicht's blin een
jinkin gliskin in the deid pit mirk
smoorin awa, smoorin awa
the waefu greetin
the feckless sabbin
the leelang nicht
smoorin, smoorin, smoorin awa
makkin a, ane
makkin me hale.

ISOBEL GRANT STEWART
Alloa

PAUCHLIN AWA'

Lord, I'm jist daunerin alane,
Forbye I kenna whaur I'm gaen
Or why I'm raikin still wi fret,
But sen I'm passin by yer yett
I micht as weel jist chap an speir –
That is, supposin that ye're there –
For sprauchled thochts a' tapsalteerie
Mak sweirt my sodden spreet an blearie
Fill my e'en lang tuim o tears
Thro' glaiberin days an' saughrin years.

They times, but no the shame, are dune
An I'm left blinkin, bletherin on,
Nae muckle certane ye can heark
Or even wuid, sae sma' the sperk
That gutters in my spail o faith,
Sae fent the soo o fervour's breith.
Och, aince I gleekit at a glaim
But hadna smerch or smeddum's wame.
My thochts aye waibled frae the Word . . .
Mebbe I'd best no fash ye, Lord.

MARGARET THOMSON
Perth

MUSEUM PIECE

I didnae ken we were deid;
No till we visited yon Agricultural Museum –
(Free entry included wi' a ticket fur the Gairdens)
'Scenes From Farming Life', it said,
and we got a lauch at the cobbled yaird
that had never seen coo shairn,
and the painted ploos that never sheared
a glaurie rig.

We fell quiet at the 'Bothy' though.
The wax-work figure stared
in silent desperation oot its glessy een.
I nipped a sprig o' aippleringie
frae the bush at the door o the 'But-and Ben'.
Inside there was a smell o moolderin leather
frae the auld clasped Bible . . .

An I was back that meenit by the well;
the ridges on the scrubbed grey plank
wealed my knees. I watched the pail
sink through the clear water, careful
no tae let it touch the bottom
and steer up a sandy cloud.

An I was lying snug wi the rough blanket
agin my face; the sharp meths reek
o the Primus cam up the stairs.
Bella was brewin the amber tea;
yellow fat globules spread frae the cream,
and the ship's biscuit was hard in ma moo . . .

Mair visitors pushed in ahint us;
a bairn shouted – and I kent at last
it was a' gane; we were but museum pieces,
for it wisnae a brig o place
that we micht cross,
but a brig o time that barred us
wi a 'No Entry' sign.
There's nae gaen back.

I grat.

LILIAN TURNER
Bearsden

59

GLOSSARY

ablow *below*
abune *above*
ae *one, the same*
affy *awful, very*
ahint *behind*
aidle sheuch *cattle urine drain*
aippleringie *southernwood, artemisia*
airn *iron*
airt *place*
airts *heads for*
anaa *also*
aneath *underneath*
anent *apropos*
antrin *occasional, chance*
athort *across*
ava *at all*
awe *owe*
awn *own, acknowledge*

backartys *backwards*
bauchles *slippers*
bawbees *halfpennies*
benmaist *innermost*
besom *mischievous girl*
bield *shelter*
big *to build*
biggin *building*
birks *birch trees*
birr *energy, force*
birslin *stinging*
bittocks *short distances*
blether *garrulous person*
bletherin *foolish talk*
boak *to gag, vomit*
bouk *body, bulk*
bourach *mound*

branky *smartly dressed*
braw *fine, handsome*
breikit *trousered*
breirds *sprouts*
brikkil, bruckle *brittle*
bumbaze *bewilder*
bummers *factory hooters*
burnist *polished*
buskit *adorned*
butties *mates, pals*
buttles *buckles*
by-ordnar *extraordinary*

caller *fresh*
camsheugh *crooked, cross-grained*
canny *prudent*
cantie *cheerful*
cantraip *magic spell*
carlin *old woman*
cast *appearance*
caurry *left-side*
cawin *rocking*
chap *to knock, strike*
chaumer *room*
cheepers *chicks*
chiel *young man*
chowks *cheeks, jaws*
churt *drop, lay*
clampit *gripped*
clarty *dirty*
cleikit *caught, stuck*
clogs *logs*
cloot *cloth*
composity *composure*
contermacious *perverse*
coorie *to snuggle into*
coup *to overturn, spill*

60

crabbit *cantankerous*
cranreuch *hoar-frost*
crouse *cheerful*
crynin *withering*
cutty *diminutive*

dabberlacked *tangled,
 seaweedy*
daidle *fondle*
darg *day's work*
daun(n)er *saunter*
deein *done, worn out*
den *glen*
dern *hide, secret*
dichtit *rubbed*
dirdum *damage*
disjaskit *forlorn*
dooker *bather*
dool *sorrow*
doolie *mournful*
dorrity, dorty *spoilt,
 conceited*
dottered *senile*
dotterel *dotard*
dottet *stupefied*
douce-lik *genteel,
 respectable*
doverin *dozing*
draigled *bedraggled*
drear *gloomy*
dreich *dreary*
dreipin *dripping*
driffle *light rain or
 snowfall*
drookit *drenched*
dub *puddle*
duddies *clothes*
dwam *dream*
dwyne *decline*

etin *giant*
ettle *intend*

fain *eager*
fan *when*
fanklin *entangling*
farrer *further*
fash *to bother, annoy*
feal *faithful*

fecht *fight*
fegs *a mild oath*
fell *very*
fent *faint*
ferlies *wonders*
fettle *work, set to*
fidgin fain *restlessly eager*
flauchter *to flutter; to skin*
flechs *fleas*
fleg *to frighten*
flichterin *fluttering*
flist *flash*
flytin *abuse*
foo *how*
forby *additionally*
fornenst *against*
forrit *forward*
frimple-frample
 haphazard, tangled
fuffs *puffs*
fushionless *pithless*

gar *cause*
get *offspring*
gey near *almost*
geylike *rather*
gif, gin *if*
girnin *complaining*
glaiberin *chattering*
glaim *burn brightly*
glaurie *muddy*
gleekit *glanced*
glegly *briskly*
glegness *keenness*
glib-gabbit *glib-tongued*
glisk *glimpse*
gowp *to gulp*
grat *wept*
greitin *weeping*
grue *nausea*
guddle *to catch fish by
 hand*
guff *odour*
gutsy *greedy*
gweed *good*
gyan *going*
gyte *crazy*

ha *mansion house*

61

haar *sea-mist*
hairst *harvest*
hap *wrap, cover*
hate *smallest particle*
haud his wheesht *keep quiet*
hauden-doun *oppressed*
haugh, hoch *water-meadow*
heft *lift up*
heich *high*
heid-doun-deid *downcast*
heize *hoist*
help ma bob *a mild oath*
heukit *hooked*
hin *had*
hine awa, hyne *in the distance*
hoch *thigh*
hoolet *owl*
hornie-goloch *earwig*
houghmagandy *fornication*
howe *hollow, valley*
howk *dig out*
huffs *puffs*
hurdies *buttocks*

ilka *each*
ill *hard, difficult*
ill-fremmit *foreign*
ill-thriven *under-nourished*

jalouse *guess*
jink *dodge*
jook, jouk *duck, dodge*

kaim *comb*
keek *peep*
keekin gless *mirror*
kenna *know not*
kirsen *christen*
kirtle *skirt*
kist o whustles *pipe-organ*
kittle *tickle, itch*
knocks *hills*
knowes *knolls*
kythe *make known*

laicher *lower*
laired *stuck fast*
laldie *a beating*
laricks *larches*
lave *remainder*
leelang *livelong*
leever-merkt *liver-spotted*
leid *language*
leifu' *discreet*
leir *knowledge*
lift *sky*
ligs *lies*
limmer *flighty girl*
loun *rascal*
loup, lowp *leap*
lourdie *sluggish, ponderous*
lowe *flame*
lown *calm*
lowse *set free, release*
lum *chimney*

maisies *wild primrose*
makars *poets*
maun *must*
mense *discretion*
muckle *large, very*
musardrie *poetry*

near-haun *hard by*

onding *heavy shower*
oo *wool*
or *before*
orra *superfluous*
outlan *outlying*

park *field*
pauchlin *struggling*
pech *pant*
peesie *lapwing*
pisht *drunk*
pit by *set aside*
pit mirk *pitch darkness*
pit the peter oan *snub*
plaidie *shawl*
plookie *pimply*
poke *paper bag*

poushent *poisoned*
pow *head*
preen *pin*
puddock *frog*

quait *quiet, calm*
quernstane *hand mill-
stone*
quine *young woman*

raikin *roaming*
raw *terrace*
rax *reach*
recked *heeded*
redd *tidy up*
reikin grannie *smoking
chimney*
reist *rude person*
rickle *mound*
rig *ridge, ploughed field*
rit *root*
rive *tear asunder*
roch *rough*
rowe *roll, wrap*
rowin *rolling*
ruggin *tugging*

sair *painful, very*
sapples *suds*
sark *shirt*
saughrin *listless,
sauntering*
scart *scratch, scrape;
cormorant*
sclenter *scree, unstable
surface*
sclim *climb*
scoukin *skulking*
scouth *freedom*
scouthie *roomy*
screeve, scrieve *scrape;
write*
scriever *writer*
scuff *scrape*
scunner *surfeit*
scunnerashun
abomination
sea-rouk *sea-mist*
seiver *gutter*

sen *since*
set *appearance*
shair *sure*
shairn *dung*
shelt *pony*
sheuch *ditch, drain*
shiel *shepherd's hut*
shooder *shoulder*
shoogle *wobble*
shriegh *shriek*
shrunkled *wrinkled*
shuin *soon; shoes*
siccan *such a*
siccar *certain*
sidelins *sidelong*
skail *spill, scatter*
skale *school*
skelp *smack; expanse*
skinklin *twinkling*
skirl *scream*
skite *skim*
skraich, skreich *screech*
skyre *bright*
slaikin *lapping greedily*
slorach *sloppy eater*
smeddum *sagacity*
smerch *commonsense*
smoorin *smothering*
snab *crest*
snell *piercing*
snorly *knotted*
snowk *scent*
soo, souch *throb; sigh*
soums *swims*
spail *spill, taper*
speirin *asking*
speug *sparrow*
spicket *spigot, tap*
spleit *split*
sprauchled *sprawled*
spreet *mischievous child*
springheid *well-head*
stabs *stakes*
stappit *stuffed*
steadin *farm building*
steer, steir *commotion;
stir up*
steik *push*
stookie *blockhead*

63

stour *dust*
stravaigin *strolling aimlessly*
stridlins *astride*
suith *truth*
swankie *agile, smart*
swaw *swell*
swee *swing, sway*
sweil *drench, cleanse*
sweirt *lazy, reluctant*
swythe *swiftly*
syle *soil*
syne *afterwards*

taiglement *delay*
taiglet *tangled*
tak tent *take heed*
tapsalteerie *topsy-turvy*
tassie *small glass*
tattie-bogle *scarecrow*
tattie-howker *potato picker*
teelie *enticing*
tent *notice*
teuch *tough*
thir *those*
thirl *thrill*
thirled *committed to*
thole *endure*
thows *sinews*
thrang *busy*
thrawn *stubborn*
till *hard clay*
tintit *lost*
titched *touched*
tod *fox*
toom, tuim *empty*
tooried *knob-topped*
touzy *dishevelled*
trait *treat*
traivlin *travelling*
trammel *encumber*
trauchle *fatigue*
trintle *trickle*
troke *truck*

tryster-time *courtship*
tulzie *quarrel*
tyauve *work, strive*

unco *strange, very*
unyokit *unharnessed*

vyce *voice*

wabbit *wearied*
wae *sad*
waibled *staggered, wavered*
walawayin *lamenting*
wame *belly*
wappenshaw *shooting competition*
ware *gear, stuff*
warstle *wrestle, struggle*
watergaw *rainbow*
wauk *vigil*
wean *child*
weedies *widows*
whaals *whales*
whaup *curlew*
wheechs *whips*
wheeglin *coaxing*
wheemer *whimper*
wheen *large number*
wheesht *hush*
whitna *what kind of*
win on *continue*
wiss *wish*
wracked *wrought*
wrocht *worked*
wrocht-for *earned*
wyce-lik *wise*
wynds *lanes*

yabblin *yelping*
yett *gate*
yird *earth*
yoke on *attack*
yowe *ewe*

FIRST INTO SANGIN